Le conte où une vilaine bête (loup, tigre, panthère, ours... selon les versions)
fait croire à des enfants laissés seuls à la maison qu'elle est leur grand-mère
venue les garder, est un lointain cousin asiatique de notre Petit Chaperon rouge.
La présente adaptation s'inspire d'un conte chinois publié sous le titre
La Grand-mère ours par Shiang Mi (Éditions en Langues Étrangères, Pékin, 1979).

Din'Roa : En pinyin, on écrit ce nom Jin Hua (Fleur d'or),
mais j'ai modifié cette graphie pour mieux approcher la prononciation originale.
Merci à Soline Lesieur, sinologue, qui m'a renseigné sur ce point.

J.-L. L. C.

Ce texte a été publié à l'origine dans la collection « Escampette ».
© Didier Jeunesse, 2015, pour la présente édition
© Didier Jeunesse, 2006, pour le texte et les illustrations
8, rue d'Assas, 75006 Paris
www.didier-jeunesse.com
Conception et réalisation graphiques : Stéphanie Desbenoit-Charpiot
Photogravure : RVB
ISBN : 978-2-278-07796-0 • Dépôt légal : 7796/01
Loi n° 49-956 du 16 juillet 1949 sur les publications destinées à la jeunesse

Achevé d'imprimer en France en juillet 2015 chez Pollina - L72595, imprimeur labellisé Imprim'Vert,
sur papier composé de fibres naturelles renouvelables, recyclables,
fabriquées à partir de bois issus de forêts gérées durablement.

PAPIER À BASE DE
FIBRES CERTIFIÉES

Didier Jeunesse s'engage pour
l'environnement en réduisant
l'empreinte carbone de ses livres.
Celle de cet exemplaire est de :
550 g éq. CO_2
Rendez-vous sur
www.didierjeunesse-durable.fr

À PETITS PETONS

Sous la direction littéraire de
Céline Murcier

DIN' ROA
LA VAILLANTE

Une histoire contée par
Jean-Louis Le Craver
illustrée par
Martine Bourre

Didier Jeunesse

Autrefois, il y a très longtemps, vivait en Chine
une petite fille bien dégourdie qui avait pour nom Din'Roa.
Elle vivait dans une campagne perdue avec sa mère
et son petit frère.

Et voilà qu'un jour, sa mère lui dit :
— Écoute, Din'Roa, ta tante est malade,
il faut que j'aille la voir.
Je ne rentrerai que demain matin.
Alors occupe-toi de ton petit frère
et si tu veux, va demander à Grand-Mère
de venir passer la soirée avec vous.

Là-dessus, la mère de Din'Roa
attrape une grosse poule
qu'elle met dans un panier
et la voilà partie.

Quand vient le soir, Din'Roa rentre les agneaux
et va fermer le poulailler.

Puis elle prend son petit frère par la main
et tous deux vont chez leur grand-mère
qui habite en face, sur l'autre colline.

Arrivés là, ils trouvent la porte fermée.
Ils appellent plusieurs fois,
mais Grand-Mère ne répond pas.

Alors les deux enfants rentrent chez eux,
Din'Roa ferme la porte au loquet,
puis elle allume la lampe à huile
et se met à raconter des histoires
à son petit frère.

Tout à coup, au milieu d'une histoire, pan ! pan !
voilà qu'on frappe.
— *Qui est là ?* dit la fillette.
— *C'est votre grand-mère.*
Le petit frère bat des mains, il crie :
— *C'est Grand-Mère !*
Ouvre-lui, Din'Roa, ouvre-lui !

Mais Din'Roa colle son oreille à la porte
et demande encore :
— *C'est toi, Grand-Mère ?*
Comme tu as une grosse voix, ce soir.
— *Oui, j'ai attrapé froid,*
alors je suis enrouée.
Ouvrez-moi, les enfants,
mais soyez gentils d'éteindre la lampe
parce que j'ai mal aux yeux.

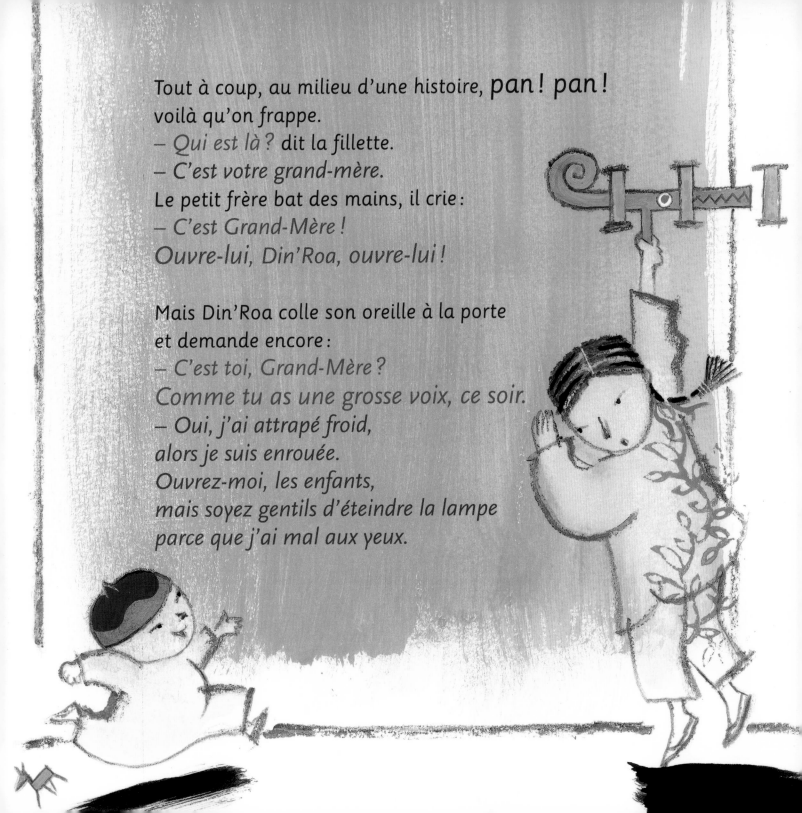

Din'Roa éteint la lampe,
la grand-mère entre dans la maison…
et comme il fait nuit,
on ne voit pas son visage.
– *Viens t'asseoir par là, Grand-Mère.*

Mais au même instant,
Din'Roa sent sous sa main
que le bras de sa grand-mère
est couvert de gros poils raides.

Peu après, Din'Roa prend une petite poignée de graines séchées,
enlève le bonnet de son petit frère et fouille dans ses cheveux.
De temps en temps, elle jette dans le feu les graines qui crépitent.

La soi-disant grand-mère, qui se tient assez loin
pour qu'on ne la voie pas bien, se dandine sur sa chaise :
– Qu'est-ce qui fait ce bruit-là ?
– Ce sont les poux de mon petit frère que je jette au feu.
Le pauvre petit en est couvert.
– Eh bien, qu'il ne m'approche pas, surtout !
– Tu crains donc les poux, Grand-Mère ?
– Euh... Ce n'est pas que je les craigne,
c'est plutôt que je ne les aime pas.

– Tu es comme les ours, alors ?
– Oui, tout à fait. Enfin...
ce qu'on raconte sur les ours, hein !
je ne sais pas trop ce qu'il en est, moi.

Voilà Din'Roa renseignée. Alors elle dit :
— Eh bien, Grand-Mère, puisque c'est comme ça,
je vais coucher le petit frère.

Elle emmène le petit dans la pièce voisine,
le couche et en sortant ferme la porte à clef.

— Et toi, ma petite fille, as-tu des poux ?
— Moi, des poux ? Pas du tout !...
Enfin, je ne crois pas.
— Eh bien, conduis-moi jusqu'au lit
et couche-toi près de moi, mon enfant.

Couchée près de l'ours, Din'Roa ne bouge pas.
Puis, tout à coup, elle dit :
– *Oh là là ! J'ai mal au ventre. Il faut que j'aille quelque part.*
– *Vas-y donc, ma petite fille, mais d'abord tends-moi ton poignet
que j'y attache ce ruban. Comme ça, tu n'auras pas de mal
à retrouver le lit quand tu auras fini.*

La petite sort.
Au bout d'un moment, comme elle n'est pas revenue,
l'ours tire brusquement sur le ruban,
et cling !
il entend comme un bruit de casse.
Il se lève, sort de la maison en suivant le ruban
et voit alors, au clair de lune,
le bout du ruban attaché
à l'anse d'un gros pot de grès qui est là,
par terre, tout en morceaux.
Alors il se met à chercher Din'Roa de tous côtés
en grognant comme aucune grand-mère au monde.
Mais l'ours ne trouve pas Din'Roa.
Alors tout essoufflé, tout assoiffé,
il s'approche de la mare et se penche pour boire...

C'est alors qu'il voit Din'Roa au fond de l'eau.

Vite, il plonge ses pattes dans l'eau pour l'attraper, mais elle disparaît.
Il se redresse et quand l'eau n'est plus agitée, l'ours revoit Din'Roa tout au fond.
Il se jette dans la mare pour la saisir, mais elle disparaît de nouveau.

C'est alors qu'un grand éclat de rire lui fait lever la tête et il aperçoit,
au-dessus de lui, la fillette perchée dans le poirier.
Ce n'était pas Din'Roa que le balourd avait vue dans la mare,
mais seulement son reflet !

Aussitôt, l'ours essaie de grimper au poirier.
Mais Din'Roa a passé une couche d'huile
sur le tronc du poirier. Une couche d'huile
qui l'a rendu si glissant que l'ours
ne peut pas grimper. Din'Roa lui dit :
— Grand-Mère, tu dois avoir faim,
alors si tu veux des poires,
va chercher la lance qui est
derrière la porte et passe-la-moi,
je t'en attraperai quelques-unes.

L'ours, qui a grand faim, court chercher
la lance et la tend à Din'Roa.

Et puis, montrant les plus grosses poires, il dit :
— *Je veux celles-ci.*
Din'Roa en attrape une et dit :
— *Grand-Mère, voici une belle poire,*
ouvre grand la bouche.
Et Din'Roa laisse tomber la poire
entre les mâchoires de l'ours
qui n'en fait qu'une bouchée.

– Attention, Grand-Mère,
ouvre bien grand la bouche.
Voici une autre poire, encore plus grosse !
L'ours ouvre la bouche
aussi grand qu'il peut
et attend, les yeux fermés.

Alors Din'Roa
brandit sa lance et,
de toutes ses forces,
elle la plonge dans
la gueule de l'ours,

Han !

La lance est entrée
profond dans sa gorge
et il est tombé raide mort.
Alors Din'Roa descend
du poirier, s'approche
de l'ours étendu par terre,
lui donne un coup de pied et dit :
– Tiens, sale bête !
Ça t'apprendra à vouloir
manger les petits enfants !

Là-dessus,
elle va se remettre au lit
et, tout aussitôt,
elle s'endort...

Au chant du coq,
Din'Roa va tout de suite
ouvrir la porte de la chambre
où son petit frère a passé la nuit,
elle l'amène devant l'ours mort
et le petit frère comprend
quelle sorte de grand-mère
était dans la maison.

Quand leur mère est arrivée, les deux enfants ont couru
au devant d'elle et Din'Roa lui a tout expliqué.
Eh bien, vous pouvez croire que maman était contente !
Si contente qu'on ne savait pas trop si elle riait ou si elle pleurait.

Par la suite, la fillette fut appelée
Din'Roa la Vaillante, et son histoire,
aujourd'hui connue dans toute la Chine,
est même parvenue jusqu'à chez nous.

Pour entrer avec appétit dans le monde des contes dès le plus jeune âge,
retrouvez dans la collection « À petits petons » :

www.didier-jeunesse.com